ぞうのエルマー **22**
エルマーと クジラ
2017年8月10日　第1刷発行

文・絵／デビッド・マッキー
訳／きたむら さとし
題字／きたむら さとし
発行者／落合直也
発行所／ＢＬ出版株式会社
〒652-0846 神戸市兵庫区出在家町2-2-20
Tel.078-681-3111　http://www.blg.co.jp/blp
印刷・製本／図書印刷株式会社

NDC933　25Ｐ　23×20㎝
Japanese text copyright © 2017 by KITAMURA Satoshi
Printed in Japan　ISBN978-4-7764-0630-3 C8798

ELMER AND THE WHALES by David McKEE
Copyright © 2013 by David McKEE
Japanese translation rights arranged with Andersen Press Ltd.,London
through Tuttle-Mori Agency,Inc.,Tokyo

ぞうのエルマー 22

エルマーとクジラ

ぶんとえ デビッド・マッキー　やく きたむらさとし

BL出版

エルマーと いとこのウイルバーは、エルドーおじいちゃんの ところに
あそびにきています。エルドーおじいちゃんは としをとった きんいろのゾウです。
エルドーおじいちゃんは、むかしのことを おもいだして、エルマーたちに
こんなことを はなしました。
「そういえば、わかいころ かわを くだって うみべまで いって、
クジラたちを ながめたことが あったなあ」
「え、クジラだって？」エルマーは いいました。「すごい！ ねえ、ウイルバー、
ぼくたちも クジラを みにいこうよ」

「ねえ、ライオンくん、いっしょに いこうよ」と エルマーは ライオンに よびかけました。
「ごめん、エルマー。いま、おひるねで いそがしいから、また こんどね」と ライオンは こたえました。トラも さそってみたけれど、
「うみは とおいし、かえりが おそくなるからね」と いきたくなさそうです。
「とにかく かわべりを まっすぐ いくんだよ」と エルドーおじいちゃんは エルマーたちを みおくりました。

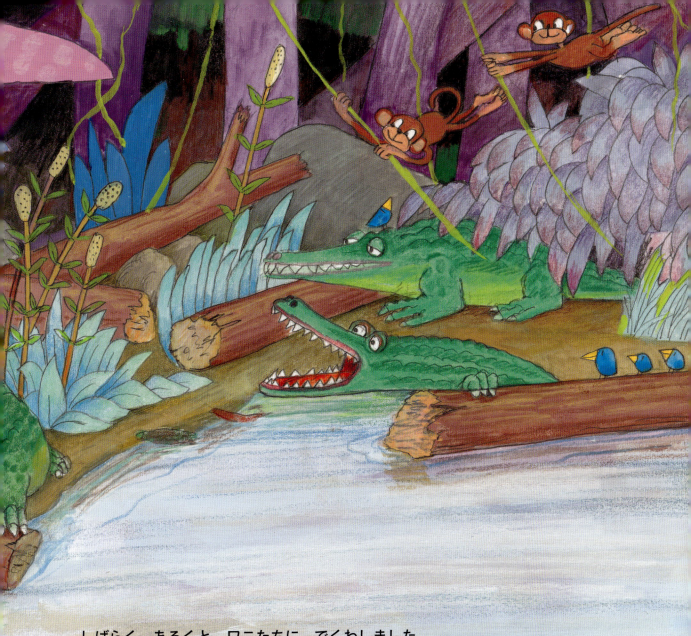

しばらく あるくと、ワニたちに でくわしました。
「ぼくたち これから うみまで いくんだ」と エルマーが はなすと、
ワニは いいました。
「へえ、そうなの。でも、わざわざ あるくより、いかだを つくって
かわを くだったほうが らくじゃない？ ほら、こんなに たくさん
まるたが あるんだから」
「ぼくたちも てつだって あげるよ」と サルたちも いってくれました。

サルたちは　まるたを　ならべ、つたで　それらを　しばります。
あっというまに　いかだが　できました。
そんな　にぎやかな　ようすを　みに、カバたちが　やってきました。
そして、エルマーたちを　のせた　いかだを　かわに　おしだしてくれました。
「あとは　ながれにのって　いけば　いい。じゃあ、いってらっしゃい」と
みんなに　みおくられて　しゅっぱつです。

いかだは かわを ゆっくりと くだっていきます。
「あるくほうが よかったら、ウイルバー、かわべりを あるいたって いいんだよ」と

エルマーが いうと、ウイルバーは「とんでもない。いかだのほうが らくちんだし、ジャングルの けしきも いつもと ちがってみえて おもしろいよ」

きゅうに あたりの ようすが かわりました。
かわは たにまを ながれていきます。
「みて! すごい がけだね」ウイルバーは いいました。
「かわべりには あるくところは ないし、
ながれは どんどん どんどん はやくなってる。
もう このまま いくしかないね」と エルマー。

「うわあ、たきだ！」エルマーは　さけびました。
かわは　おおあばれして、いかだを　あっちに　こっちに　ぶつけます。
「ウイルバー、しっかり　つかまって！」エルマーは　さけびました。
「エルマーも　おっこちないでね！」ウイルバーも　さけびました。
もう、ちんぼつしそうです。

でも、はげしい ながれは きゅうに おさまりました。
「ああ、よかった。いかだから おちなかった」と
ウイルバーは わらいました。「でも、さきは まだ ながそうだね」
「まあ、のんびり いこう」と エルマー。「だけど、うみは そんなに
とおく なさそうだよ。ほら、みて、カモメが とんでる」

よるに なりました。ながい たびの いちにちでした。いかだは ゆっくりと ゆれ、

いつしか エルマーも ウイルバーも、ぐっすり ねむってしまいました。

あさです。ふたりは めを さましました。
「あれれ、うみだ！ いつのまにか うみに ながされちゃった」エルマーが いいました。
「ほら、クジラが いるよ」と ウイルバー。
「ねえ、クジラさん」エルマーは よびかけました。「ぼくたちを きしのほうまで おしてくれませんか？」

「じつはね ぼくたち、クジラさんたちに あいにきたんだ」エルマーは はなしました。
「クジラをみるのは はじめてだけど、きみたちも いかだにのった ゾウを
みたことなんて なかったでしょ？」
「いや、２どめだ」と いっとうのクジラは こたえました。「わしが ずっと
わかいころ、きんいろのゾウが いかだにのって やってきたことが あった」
「あ、それ エルドーおじいちゃんだ」エルマーと ウイルバーは いいました。

きしにあがると エルマーと ウイルバーは みはらしのよい ところから、おきに かえっていく クジラたちを みおくりました。
「エルドーに よろしく」さっきの クジラが いいました。
「エルドーおじいちゃんに はなしたら びっくりするね」と ウイルバー。
「ねえ、ウイルバー」エルマーは いいました。「ぼくたちも エルドーおじいちゃんみたいに、これからも いろんな ところに ぼうけんに でかけよう」
ふたりのゾウは、いえにむかって あるきだしました。